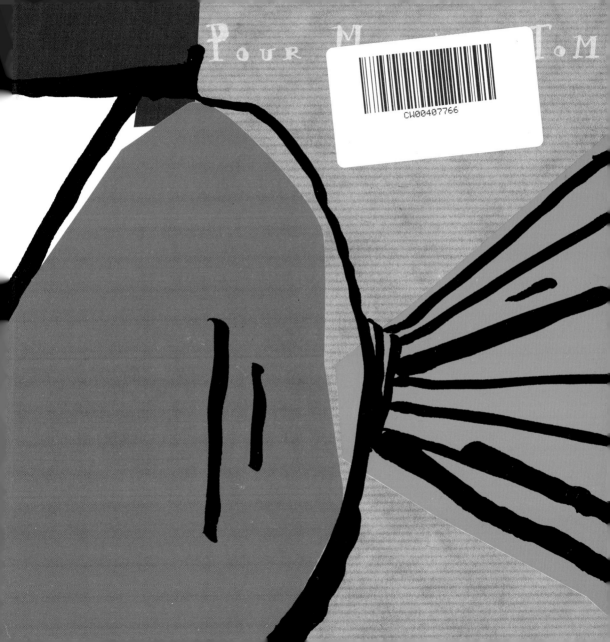

© Éditions du Rouergue
5, rue Cusset 12000 Rodez
Téléphone : 65-73-36-07.

Cet ouvrage a été réalisé
à l'initiative et avec le concours du
Conseil général de Seine Saint-Denis

OLIVIER DOUZOU

Loup

Editions du Rouergue

L   O

je mets

mon

Nez

u   P

je mets mon Œil

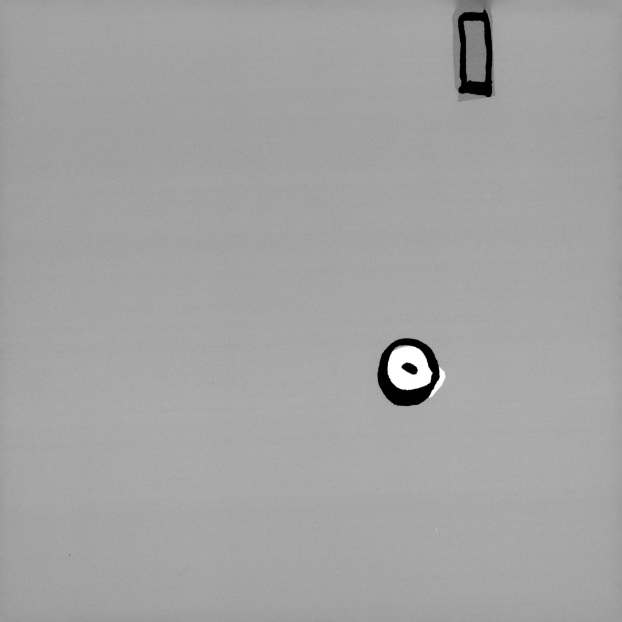

je mets mon autre Œil

je mets mes oreilles

je mets mes Dents

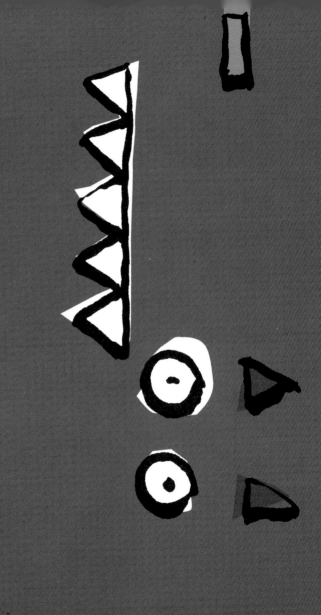

Je mets mes Autres Dents

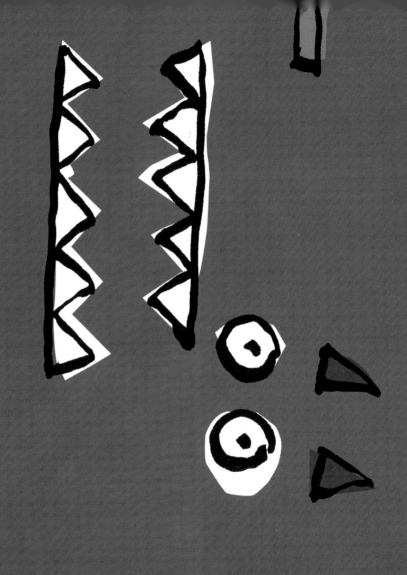

je mets Ma Kate

je mets ma serviette

Et je mange ma Carotte

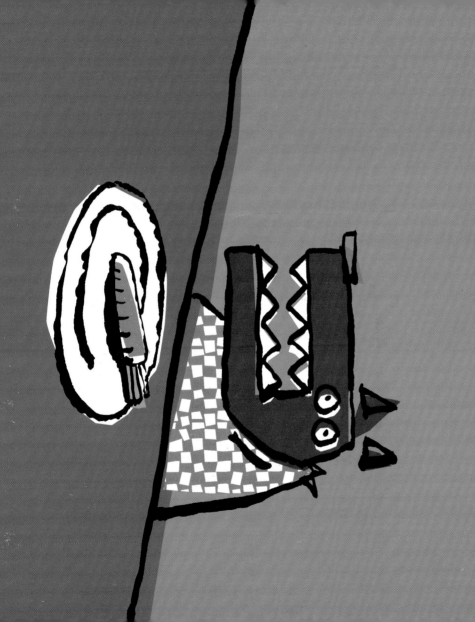

Achevé d'Imprimer
en Novembre 1996
sur les Presses de Graphi-Imprimeur
Rodez-la-Primaube
Dépôt légal : Novembre 1995
ISBN 2 84156 010 4